Y0-AGI-848

Goethe, Johann Wolfgang von, 1749-1832
Fausto / Johann W. Goethe ; traducción Ursula Domeinski de Pineda.— Bogotá : Cangrejo Editores ; Buenos Aires : Ediciones Gato Azul, 2006.
36 p. : il ; cm.
Título original. Faust.
1. Teatro alemán 2. Amor – Teatro 3. Existencialismo – Teatro I. Domeinski de Pineda, Ursula., tr. II. Klaus Ensikat., il. III. Tít.
832.62 cd 19 ed.
A1077629

CEP-Banco de la República-Biblioteca Luis Angel Arango

JOHANN WOLFGANG VON GOETHE

1ª Edición, abril de 2006

Título original en alemán: *Faust*

Carrera 24 No 59-64, Bogotá D.C., Colombia
Telefax: (571) 4373045, 2766440
E-mail: cangrejoedit@yahoo.com
Bogotá D.C., Colombia

ISBN: 958-97825-6-6

Preparación editorial:
Cangrejo Editores

Traductor:
Ursula Domeinski de Pineda

Ilustraciones:
Klaus Ensikat

Preprensa digital:
Cangrejo Editores

Diagramación:
Cristina Galindo Roldán

Imprelibros S.A.
Impreso en Colombia – Printed in Colombia

JOHANN WOLFGANG VON GOETHE

Fausto

ILUSTRACIONES: KLAUS ENSIKAT

Ediciones
GATO AZUL

CANGREJO
EDITORES

El conflicto entre Dios y el Diablo es el del bien y el mal; éste viene desde tiempos inmemorables. Nuestra historia trata sobre ello. Pero comencemos desde el principio...

Era un día como cualquier otro. El querido Dios estaba sentado en el cielo y miraba complacido hacia la Tierra que había creado. Tres arcángeles lo rodeaban respetuosamente y alababan su obra: el mundo y sus habitantes.

En ese momento se acercó Mefisto. El Diablo bromista no estaba de acuerdo de ninguna manera con la alabanza de los ángeles. También ahora habló despectivamente de la tierra malograda y su gente imperfecta.

El Señor preguntó enojado e indignado:

—*"¿No tienes nada más que decirme? ¿Vienes siempre solamente para acusar? ¿Es qué nunca algo en la Tierra ha de gustarte?"*.

—*"¡No, Señor! Sinceramente me parece que allí todo va tan mal como siempre!"* — respondió Mefisto.

Entonces preguntó Dios:

—*"¿Conoces a Fausto?"*.

—*"¿Al doctor?"*.

—*"Sí"*, —dijo el Señor—, *"es trabajador y siempre se preocupa por poder hacer y saber muchas cosas. ¿Acaso me salió todo mal? ¿No es este hombre una buena persona?"*.

Ahora Mefisto rió sarcásticamente:

—*"¿Buena persona? ¿Qué quieres apostar que puedo ganarlo para mí y atraerlo al lado del Diablo?"*.

Dios no quiso apostar con el Diablo, pero de todas maneras le dio a Mefisto el permiso para buscar a Fausto y probar su poder en él:

—*"Inténtalo, vamos a ver, si llegas a tener éxito"*.

Con estas palabras se apartó, los arcángeles retrocedieron y el cielo se cerró. Mefisto, sin embargo, bajó a la Tierra para encontrar a Fausto y congraciarse con él.

El doctor Enrique Fausto se hallaba intranquilo, sentado ante el escritorio en su estudio de altas bóvedas. Era muy entrada la noche y todas las demás personas dormían desde hacía un largo rato; pero Fausto no podía dormir. Estaba descontento, de mal humor y se quejaba para sí:

—*"Toda la noche he estudiado, durante horas he leído en mis libros, y ¿qué pasa? Aquí me veo yo, pobre loco, sin saber más que al principio"*.

Sollozando, abrió un grueso libro y vio en él el signo misterioso del infinito cielo. Miró fascinado la figura y exclamó:

—*"¡Cómo me gusta este signo! Como se tuerce ante mis ojos, como hace remolinos y baila: ¡qué espectáculo! Pero ¡ay! Es solamente un espectáculo, veo el signo, pero no lo entiendo"*.

De mal humor cerró de nuevo el libro y abrió otro pesado tomo: en él figuraba el signo de la Tierra.

—*"¡La Tierra me queda más cerca que el cielo! Tal vez si utilizo la magia logro invocar el espíritu de la Tierra"*.

Murmuró unas palabras mágicas y ordenó:

—*"¡Ven, espíritu de la Tierra y muéstrate ante mí!"*.

Enseguida chispeó una llama; en ésta apareció el espíritu y preguntó con voz ronca:

—*"¿Quién me llama?"*.

Fausto se asustó y volteó la cara:

—*"¡Qué cara espantosa! ¡Ay! ¡No te soporto!"*.

Pero luego reflexionó y gritó con valor:

—*"¿Debo hacerme a un lado, espíritu de llamas? Yo soy Fausto, soy tu igual"*.

Ahora el espíritu de la Tierra se burlaba sarcásticamente de él:

—*"Tú, gusanito, ¿quieres ser mi igual? ¡No, no lo eres! ¡Tú solamente eres un insignificante espíritu humano, infinitamente más pequeño que yo, que soy el gran espíritu de toda esta Tierra!"*.

Con estas palabras se apagó la llama silbando y el espíritu desapareció. Fausto se desplomó desilusionado:

—*"¿No tu igual? ¿No? ¿Solamente un insignificante espíritu humano?"*.

En el mismo momento tocaron a la puerta. Fausto se apartó disgustado.

—*"Wagner"*, —pensó de inmediato—, *"¡precisamente ahora, después de haber estado parado justo hace un momento frente al alto espíritu de la Tierra!"*.

Wagner era su sirviente; gran admirador del erudito doctor Fausto quien era mucho más inteligente que él mismo.

De mala gana abrió el doctor la puerta. Allí estaba parado Wagner, vestido en batín y gorro de dormir, con una vela en la mano.

—*"Perdone la molestia a estas altas horas de la noche"*, –dijo enseguida–. *"Escuché extraños ruidos y me preocupé"*.

Luego preguntó respetuosamente:

—*"Y usted, ¿está estudiando aún?"*.

Fausto no quería entrar en una conversación y mandó a Wagner a la cama. Cansado y triste se dejó caer en un sillón y sollozó:

—*"¡Cuánto me gustaría conocer el mundo tan bien como el gran espíritu de la Tierra! Pero es imposible, soy y seré solamente un hombre. Ay, si pudiera dormirme para siempre y nunca más despertar, entonces, por fin tendría tranquilidad y la vida no me daría tanto miedo..."*.

En ese momento se escuchó en el cuarto un sonido de campanas que venía de fuera: las iglesias tocaron solemnemente para la fiesta de Pascua. Fausto no se había dado cuenta, en absoluto, que ya comenzaba un nuevo día. Él miraba por la ventana y veía pasear a los ciudadanos, vestidos de gala, ante la puerta de la ciudad para darle la bienvenida a la primavera.

Un poco más tarde se mezclaron Fausto y Wagner con los paseantes de Pascua. Por todas partes se podía sentir la primavera que comenzaba. Las muchachas vestían batas airosas, bajo un tilo bailaban los campesinos, un mendigo cantaba y todos los ciudadanos alegremente lo acompañaron. Hasta Fausto se sentía ahora muy aliviado en el corazón y pensaba asombrado:

—*"Qué desanimado y triste estuve hace un momento y ahora estoy alegre"*.

Moviendo la cabeza murmuró:

—*"¡Ay! Dos almas habitan en mi pecho"*.

Pero de repente quedó paralizado. Wagner preguntó asombrado:

—*"¿Qué es, por qué mira tan extrañado?"*.

4 9 2
3 5 7
8 1 6

—*"¿Ves al perro negro allá?"*, —respondió Fausto.

—*"Lo vi hace rato, no me pareció importante"*.

—*"¡Míralo bien! ¿Por quién tomas a este animal?"* —preguntó Fausto.

—*"Por un perro de aguas, señor"*, —contestó Wagner con franqueza.

Sin embargo, Fausto pareció ver más:

—*"¿No ves el remolino de fuego a su alrededor y que se nos está acercando permanentemente?"*.

Wagner movió la cabeza:

—*"No veo nada más que un perro negro de aguas. Él gruñe y duda, se acuesta de barriga y mueve la cola. Todo lo que acostumbran hacer los perros"*.

—*"Sí, tienes razón"*, —reconoció por fin Fausto—, *"es un perro, ningún fantasma"*.

Pero el perro de aguas les seguía los pasos. Finalmente corrió detrás de Fausto hasta el estudio, donde saltaba de una forma salvaje y gruñona.

De repente, el perro de aguas comenzó a cambiar su cuerpo. Se puso largo y ancho y el doctor exclamó asombrado:

—*"¡Qué fantasma he traído a casa! Ya se ve como un hipopótamo. ¡Esos ojos ardientes, los horribles dientes! ¿Eres tú, compañero, un fugitivo del infierno, un diablo? ¡Entonces trataré de conjurarte con magia!"*.

Pronunció unas palabras mágicas y enseguida el perro de aguas se convirtió en Mefisto, el mismísimo Diablo. Estaba disfrazado de estudiante y Fausto reía sorprendido:

—*"¡Esto fue entonces el secreto del perro de aguas! Un estudiante. ¿Cómo te llamas?".*

—*"¡Me llamo Mefisto. Yo soy el espíritu que siempre se niega!",* —contestó—. *Entonces soy todo lo que usted llama pecado, destrucción, en una palabra, el Mal, mi propio elemento. Yo soy el Diablo. Pero hablaremos más de esto la próxima vez. Me gustaría irme, solamente..."*

—*"¿Qué te lo impide?"* —preguntó sorprendido Fausto.

—*"Tengo que confesar que ese signo sagrado allá, la estrella de 5 puntas que tiene en su umbral... Como perro de aguas pude saltar fácilmente hacia dentro, pero, ahora la cosa se ve diferente: el Diablo no puede salir de la casa".*

—*"¿Este signo te retiene?".*

Fausto estaba asombrado:

—*"Entonces ¿eres mi prisionero? ¿Lo serás? Al Diablo uno lo debe atrapar, mientras se pueda".*

Pero Mefisto no quedó nada impresionado. Él pronuncio una pequeña fórmula mágica y enseguida aparecieron sus fantasmas quienes arrullaron a Fausto con su monótono canto hasta que cayó profundamente dormido. Mefisto tenía una risa burlona:

—*"¡Todavía te falta mucho para ser suficientemente poderoso y retener al Diablo! ¡Pero espera! Esto no me volverá a pasar, que esté aquí otra vez preso. Necesito un diente de rata que parta ese signo".*

En voz alta dijo:

"El señor de las ratas y los ratones,
de las moscas, ranas, chinches, piojos
te ordena que te atrevas a salir
y roas este umbral".

De inmediato apareció una rata gorda y comenzó a partir con los dientes la estrella de cinco puntas.

A medianoche Mefisto tocó duro y de forma perceptible en la puerta de Fausto.

—*"Quiero proponerte un trato"*, —dijo él— . *"Yo sé que tú te sientes viejo e ignorante: la vida no te divierte. Déjame ser tu sirviente: te llevaré por el mundo y te mostraré qué tan bella es la vida"*.

Fausto miró a Mefisto con desconfianza:

—*"Y ¿qué quieres tener a cambio por esto? Un Diablo no sirve gratuitamente, el Diablo es un egoísta. ¿Qué tengo que hacer para esto?"*.

—*"Quiero servirte aquí en la Tierra. Pero si vienes una vez al infierno y nos volvemos a encontrar allí, entonces serás tú quien me sirva"*.

Fausto se encogió de hombros:

—*"El infierno no me asusta, es la vida en la Tierra la que me importa, aquí quiero ser feliz"*.

—*"Yo puedo ayudarte a conseguirlo"*, —respondió Mefisto de manera astuta.

En ese momento Fausto le extendió la mano y dijo:

—*"¡Si logras que sea feliz al menos por un instante, entonces seré tu sirviente en el infierno! ¡En eso consistirá mi apuesta!"*.

Sin vacilar Mefisto aceptó:

—*"¡Estrechemos nuestras manos! La apuesta es válida. Pero quiero un contrato escrito, que debes firmarlo con una gota de sangre, pues la sangre es un líquido bastante especial"*.

Fausto cumplió sin miedo esta exigencia del Diablo, porque él estaba seguro que nunca encontraría un instante en la vida tan bello que deseara que nunca pasara.

Mientras tanto, un estudiante esperaba para entrar en el cuarto, desde hacía largo rato. Quería pedirle un consejo al sabio doctor. Como Fausto no tenía ganas de verlo, Mefisto le propuso astutamente:

—*"Dame tu abrigo, lo recibiré en tu lugar y voy a divertirme con él en tu nombre"*.

Con una risa sarcástica se echó encima el largo abrigo de Fausto y le pidió al estudiante que entrara.

—*"¿Qué quiere llegar a ser en el futuro?"* —le preguntó enseguida con cara seria.

—*"Eso quería preguntárselo a Usted"*, —contestó rápidamente el estudiante.

Ahora Mefisto comenzó a hacer su broma diabólica al pobre estudiante:

—*"¿Cómo sería como profesor, juez, médico o párroco?"* —de está forma le recomendó alegremente una cosa luego otra y después otra. Al final al estudiante le dio vértigo y suspiró moviendo la cabeza:

—*"Me siento tan torpe, como si anduviera una rueda de molino en mi cabeza. Será mejor que me vaya"*.

Se despidió con una reverencia y se fue embobado. Mefisto, sin embargo, se rió con malicia y se alegró sobre su exitosa broma.

—*"¿Y ahora a dónde vamos?"* —preguntó Fausto un poco más tarde.

—*"Para comenzar vamos a la ¨Taberna de Auerbach¨*, —propuso Mefisto—. *"¡En esta taberna uno encuentra siempre gente alegre que se divierte con la vida!"*.

Fausto estuvo de acuerdo:

—*"Pero, ¿cómo llegaremos allá?"*.

—*"¡Ningún problema!"*.

Mefisto extendió su abrigo, produciendo mágicamente una ráfaga de viento, aire ardiente y fueron llevados los dos por el aire.

En la ¨Taberna de Auerbach¨ ya estaban alegremente reunidos algunos compañeros. El ambiente era turbulento y divertido. Mefisto palmoteó en forma alentadora a Fausto:

—*"¡Tan fácil se puede vivir, Fausto! Para esta gente aquí cada día se convierte en una fiesta"*.

Se sentaron en la mesa con un par de hombres y de inmediato Mefisto comenzó un jueguito diabólico:

—*"¡El vino no me gusta!"* —exclamó—. *"Debo ofrecerles algo de mi bodega. Para esto necesito solamente una barrena"*.

Los hombres lo miraron asombrados:

—*"¿Una barrena? ¿Y para qué? ¿Es que no tiene los barriles ante la puerta?".*

Pero finalmente uno se levantó curioso y regresó con la barrena del dueño. Ahora Mefisto preguntó uno a uno por lo que querían tomar e hizo un agujero tras otro en la mesa, el cual cerraba enseguida de nuevo con tapones de cera. Luego murmuró unas palabras mágicas y pidió a los hombres:

—*"¡Ahora quiten los tapones y disfruten!".*

Cómo quedaron sorprendidos, cuando de cada agujero salió exactamente el vino pedido en la copa. Ahora Mefisto hizo aún más magia, dejó subir las llamas en llamaradas de los agujeros y los conjuró de nuevo. Finalmente fue suficiente para los hombres y ellos exclamaron disgustados:

—*"¡El hombre tiene que ser un mago malo, vamos, atrápenlo y no lo dejen escapar!".*

Se tiraron sobre Mefisto, pero éste dijo rápidamente otra palabra mágica y quedaron los hombres inmóviles como piedras. Mediante una última fórmula mágica Mefisto dejó a cada uno de ellos tocándose recíprocamente la nariz, desapareciendo luego con Fausto.

Los compañeros se separaron: *"¿Qué hay?" "¿Cómo? ¿Era ésta tu nariz?" "¿Y tengo la tuya en la mano? "¿Qué pasó?" "¿No estuvo aquí un tipo raro?" "¿Tomamos vino de la mesa?"*

Confundidos, miraron la mesa, pero ésta estaba completamente intacta, ya no se podía ver ningún agujero. Moviendo la cabeza dijeron finalmente: *"Todo fue engaño, mentira y alucinación, solamente hemos soñado. Uno no debe creer en milagros".*

Mientras tanto Mefistófeles llevó a Fausto a la cocina de una bruja y prometió:

—*"Aquí se cocina para ti una bebida mágica que te rejuvenecerá 30 años".*

Fausto observó todo a su alrededor con desconfianza. Sobre la hoguera se encontraba una caldera grande, en el vapor que subía se mostraban diferentes figuras. Un par de macacos se calentaban junto al fuego. En todas partes de la casa colgaban extraños enseres de la bruja. Mefisto habló dirigiéndose a los macacos:

—*"¿Al parecer la señora no está en casa?".*

Cantando respondieron éstos:

—*"¡Está en una comilona, por fuera de casa, salió por la chimenea!".*

Mientras tanto, Fausto clavó los ojos en el espejo y finalmente exclamó maravillado:

—*"¿Qué veo aquí en este espejo mágico? ¡La más hermosa imagen de una mujer! ¿Existirá algo así? ¿Puede haber una mujer tan bonita?".*

En este instante subió una inmensa llamarada por la chimenea y la bruja bajó a través de la llama, dando unos gritos espantosos:

—*"¿Quiénes son ustedes? ¿Qué es lo que quieren?"*.

Mefisto se enfureció y con unas palabras mágicas hizo romper los vasos y ollas de la bruja en mil pedazos.

—*"¿No reconoces a tu señor y maestro?"*.

La bruja retrocedió llena de pánico:

—*"¡Oh, señor, perdone este grosero saludo. No había visto su pie de caballo!"*.

Mefisto se mostró entonces un poco más transigente:

—*"¡Por esta vez te has salvado! Este amigo quiere una copita de tu jugo rejuvenecedor"*.

—*"Es un placer darte una"*, —respondió la bruja.

Con gestos solemnes describió un círculo, puso toda clase de sus cachivaches dentro de él y pidió a Fausto pararse también junto a éste. Conjurando leyó de su grueso libro de brujería:

"Debes entender.
Haz de uno diez,
y réstale dos
y haz igual al tres,
así te vuelves rico. ¡Pierde el cuatro!
De cinco y seis, así dice la bruja,
haz siete y ocho, así quedó hecho.
Y nueve es uno, y diez es ninguno.
Esta es la tabla de multiplicar de las brujas".

Después la bruja rompió el círculo y sirvió el jugo mágico en una taza, la cual vació Fausto de un solo sorbo.

Pero pareció que Fausto solamente estaba pensando en una cosa y pidió rápidamente:

—*"¡Déjame mirar otra vez en el espejo! ¡Esa imagen de mujer era tan bella!"*.

—*"No, no"*, —lo aconsejó Mefisto y llevó a Fausto para la calle—. *"Pronto vas a ver la más hermosa de todas las mujeres en carne y hueso".*

Y se convirtió en realidad: apenas habían dado un par de pasos, allí venía a su encuentro una muchacha joven, de nombre Greta, que era completamente igual a la imagen del espejo mágico. Fausto estaba extasiado y le habló:

—*"Mi bella señorita, ¿podría atreverme a ofrecerle mi brazo y mi compañía?".*

Pero Greta bajó asombrada la mirada y respondió con timidez:

—*"No soy ni señorita ni bella y puedo volver a casa sin compañía de nadie".*

Fausto le siguió ansiosamente con la mirada:

—*"¡Por el cielo, esta niña es hermosa! Mefisto, tienes que presentármela".*

—*"Está bien. Quiero llevarte hoy a su habitación. Pero ella no va a estar ahí, sino visitando a su vecina".*

—*"Entonces, consígueme un regalo que pueda dejarle"*, —pidió Fausto.

Esa noche Greta estaba sentada en su habitación, haciéndose sus trenzas y recordando el encuentro con Fausto. Pensativa movía la cabeza:

—*"¡Daría cualquier cosa por saber quién era el caballero de hoy! Este hombre joven me ha gustado mucho"...*

Luego se paró suspirando y salió para visitar a su vecina. Enseguida se introdujeron Fausto y Mefisto en su habitación. Mientras el doctor observaba con alegría la bien ordenada recámara de Greta, Mefisto escondía el regalo en su armario: un cofrecillo con joyas. El tiempo pasó volando y demasiado pronto llamó Mefisto:

—*"¡Rápido! La veo venir abajo. ¡Tenemos que irnos!".*

Greta se sorprendió muchísimo, cuando poco tiempo después, descubrió el regalo de Fausto. Maravillada exclamó:

—*"¿Cómo llegó este lindo cofrecillo aquí adentro? Dios del cielo, ¡que hermosas joyas! Con ellas podría asistir una mujer noble a las mejores fiestas".*

Se puso la cadena, los aretes y se miró encantada en el espejo.

Entretanto, Mefisto con picardía diabólica, logró congraciarse con la señora Marta, la vecina de Greta. Sin sospechar nada, había invitado a su jardín a Fausto junto con su malévolo acompañante. También Greta se había hecho presente y no pudo ocultar su alegría al verlo de nuevo. Fausto tomó su mano y preguntó conmovido:

—*"¿Me ha reconocido usted de inmediato, cuando entré al jardín?"*.

Greta asintió:

—*"¡Sí, algo así, como sucedió en nuestro encuentro anterior; nunca me había pasado!"*.

Ella recogió una flor y lentamente deshojaba los pétalos, uno tras otro.

—*"¿Qué es eso, un ramo?"* —preguntó Fausto.

Pero Greta se volteó apenada:

—*"¡Usted solamente se va a reír de mí!"*.

Ella siguió deshojando la flor y murmurando:

—*"Me quiere —no me quiere— me quiere..."*.

Y cuando había llegado al último pétalo, exclamó con profunda alegría:

—*"¡Me quiere!"*.

Fausto cogió sus manos y dijo solemnemente:

—*"Sí, lo que dice el pétalo es verdad. ¡Él te ama!"*.

Loca de alegría Greta se soltó de sus manos y escapó; Fausto siguió tras sus pasos pero ella saltó al invernadero y se escondió. Mirando por una rendija socarronamente, susurró alterada:

—*"¡Él viene!"*.

Cuando Fausto la descubrió detrás de la puerta, la abrazó y la besó de todo corazón. A la siguiente tarde Greta y Fausto paseaban otra vez cogidos del brazo por el jardín de la señora Marta. Greta le contaba de su hermano Valentín, quien se había ido como soldado a la guerra. De repente preguntó:

—*"Ahora, dime, ¿cómo estás con la religión? ¿Crees en Dios?"*.

Fausto respondió evadiéndose:

—*"¿Tiene Dios un nombre? Quién lo puede nombrar y decir: ¿creo en él? Llámalo ¡Felicidad!, ¡Corazón!, ¡Amor! ¡Dios! No tengo nombre para ello"*.

—*"También así, más o menos, lo dice el párroco"*, —respondió Greta contenta. Pero luego frunció la frente y comenzó a hablar de Mefisto. —*"¡Odio profundamente a tu*

acompañante! Con todas las demás personas suelo ser buena, pero ante éste siento un miedo oculto...".

Fausto dijo apaciguándola:

—*"¡No le temas!".*

—*"A mí no me gusta,"* —le respondió Greta—, *"él siempre se ve tan burlón, como si no pudiera querer a nadie".*

Fausto guardó silencio desconcertado.

¡Cómo Greta había reconocido muy bien la verdad sobre el ser diabólico de Mefisto!

Unos días más tarde, cuando Fausto y Mefisto estaban sentados ante una cueva en el bosque, preguntó de repente el Diablo de forma burlona:

—*"¿Quieres saber, cómo se encuentra tu Greta? Desde que estuviste visitándola en su recámara, ella solamente piensa en ti. Te quiere inmensamente. Llora, se para en la ventana, a veces está feliz, pero generalmente está triste".*

Ahí Fausto lo increpó disgustado:

—*"¡Esto es culpa tuya, tú lo querías así! ¡Me rejuveneciste para que yo le pudiera gustar!".*

Pero Mefisto solamente se mofó:

—*"¡Bien! Tú me regañas y yo tengo que reírme. Tú estás enamorado. ¡Anda y consuélala, necio!".*

En efecto, Greta estaba melancólica, sentada en su recámara, hilando en la rueca y añorando a Fausto. Triste cantaba para sí:

"Mi tranquilidad se acabó,
mi corazón está oprimido;
No la vuelvo a encontrar nunca,
y nunca más.

Donde no lo tengo,
ahí está mi tumba.
A todo el mundo
lo amargo yo..."

Mientras tanto, Fausto se encontraba con Mefisto camino a casa de Greta. Llegando ante su habitación, Mefisto tocó con alegría desbordante en la cítara una canción para divertirla.

En este momento el hermano de Greta, Valentín, quien había regresado de la guerra, salió de la casa. A él le habían llegado rumores que su hermana tenía una relación amorosa con un hombre sin que se hubieran casado; en aquel entonces esto era una gran vergüenza y por eso cuando vio a Mefisto ante la recámara de Greta, sacó de inmediato su espada y gritó:

—*"¿Eres tú malvado quien ha deshonrado a mi hermana?"*.

Mefisto brincó y ágilmente se hizo a un lado, diciéndole a Fausto:

—*"¡Es contigo, no cedas! ¡Saca tu espada, yo te ayudo!"*.

Fausto sorprendido se vio obligado a defenderse contra su voluntad. Valentín no tuvo ninguna oportunidad contra la espada dirigida por el poder del Diablo y así sin tener alguna posibilidad de salir airoso pronto cayó herido de muerte al piso, mientras Fausto y Mefisto emprendían rápidamente la fuga.

Los dos huyeron hasta bien adentro de las montañas. Era la noche de *Walpurgis,* la noche en la cual, según la vieja creencia, se encontraban todas las brujas en

el *Brocken* para bailar. Mefisto guió a Fausto por extraños valles y pantanos llenos de espesa neblina. Ahí y allá chispeaban centellas, la tierra ardía. Cada vez más brujas volaban a toda velocidad hacia el *Brocken* y cantaban en un coro mágico:

"Las brujas suben al Brocken,

el rastrojo es amarillo,

los sembrados son verdes"...

Mefisto llamó a Fausto:

—*"Ven, agárrate de mí, sino quedaremos separados".*

"¡Qué empujones, qué choques, qué resbalones y qué sonsonete!

¡Qué hervor y que batida, qué corriente de aire y qué cotorreo!

¡Qué brillo, qué chispas y qué hedor y qué ardor!

¡Ésta es la auténtica brujería!".

Cogió de la mano a una vieja y fea bruja, llamando a Fausto:

—*"¡Vamos, bailemos!".*

Éste, haciendo lo mismo, saco a una bella joven, pero cual no sería su susto, cuando de repente le saltó de la boca un ratoncito rojo. Mefisto, quien se divertía riéndose decía:

—*"¿Y qué? ¡De todas formas el ratón no era gris!"...*

En esto Fausto empujó a su acompañante diabólico y dijo:

—*"¿No ves allá, en la lejanía, parada sola a una pálida y hermosa niña? ¡Cómo se parece a la buena de Greta!".*

—*"¡Déjala quieta! Es como un cuadro de magia sin vida"*, —respondió Mefisto.

—*"¡Pero mira, esos ojos, ese pelo, es Greta! ¡Debo ir a verla!".*

—*"Esto es solamente magia, pues parece como si fuera esta noche la amiga de todos. ¡Vamos!".*

Finalmente, Fausto se dejó llevar contra su voluntad del *Brocken.*

Entretanto, a Greta la habían llevado a la prisión. Esperaba un hijo de Fausto y en su desesperación lo perdió, sin que pudiera llegar a este mundo. Cuando Fausto se enteró de esto, gritó indignado a Mefisto:

—*"¡Esto lo hiciste tú, tú Diablo, tú querías que esto pasara! ¡Si fueras otra vez un perro de aguas! Tienes que ayudarme a salvarla. ¡Libérala!".*

—*"Bueno, está bien"* —contestó fríamente Mefisto—. *"Envolveré al guardián en niebla y le quitaré las llaves. Tú sacarás a Greta. Mis caballos mágicos los llevarán lejos; eso está en mi poder".*

—*"¡Entonces hagámoslo!"*, —exclamó Fausto impaciente.

Rápido como el viento galoparon en los caballos negros del Diablo, a través de la noche.

Llegando a la prisión, Fausto presuroso abrió la puerta de hierro, con la ayuda de Mefisto. Greta estaba en cuclillas en el piso, desesperada y llena de miedo.

Fausto susurró enfáticamente:

—*"¡Greta, Greta! ¡Soy yo! ¡Quiero liberarte!".*

Cuando soltó sus cadenas, ella reconoció a Fausto, dio un salto y lo abrazó.

—*“¡Ven rápido conmigo!”*, —apuró Fausto—. *“¡Sólo un paso y estarás libre!”*.

En este momento apareció Mefisto detrás de Fausto:

—*“¿Qué los retiene tanto tiempo? ¡Vamos o estarán perdidos! ¡Mis caballos aguardan!”*.

Greta se asustó, cuando reconoció a Mefisto:

—*“¿Qué es lo que está saliendo del suelo? !Es él! ¡Un diablo! ¡Mándalo lejos! ¿Qué quiere?”*.

—*“¡Vamos Greta!”*, —suplicó Fausto, desesperadamente.

Pero ella siguió retrocediendo y gritó asustada:

—*“¡Tú estás asociado con el Diablo, Fausto! ¡Te tengo horror!”*.

Mefisto arrastró consigo a Fausto, ordenándole:

—*“¡Aquí conmigo!”*...

Pero Greta fue premiada por su perseverancia frente al Diablo: Dios envió a sus ángeles a la Tierra quienes salvaron a Greta de la prisión y la llevaron al cielo.

Pero aquí la historia no termina... también, aunque Fausto tenía que continuar con Mefisto, gracias a su amor por Greta, pudo finalmente liberarse de él. Y Greta había rogado tan fervorosamente a Dios por la salvación de Fausto que logró, en definitiva, que pudiera entrar al cielo, donde ella lo esperaba llena de alegría.

Así los dos estuvieron unidos por siempre. Y Mefisto quedó allá solo, habiendo perdido la apuesta.

FIN